Cymraeg TGAU – **Help**
gydag astudio

MARION EAMES

Y STAFELL DDIRGEL

GOMER

Nodiadau astudio **gan Tudur Dylan Jones**

@ebol

Cydnabyddiaethau

Golygwyd gan **Bethan Clement ac Eirian Jones**

Dyluniwyd gan Stiwdio Ceri Jones, **stiwdio@ceri-talybont.com**

Diolch i Wasg Gomer am eu caniatâd i ddefnyddio clawr y nofel wreiddiol

Diolch i deulu Ifor Owen am eu caniatâd i ddefnyddio'r map ar dudalen 4.

Argraffwyd gan **Argraffwyr Cambria**

Noddwyd gan Lywodraeth Cynulliad Cymru

Cyhoeddwyd gan Atebol Cyfyngedig, Adeiladau'r Fagwyr, Llanfihangel Genau'r Glyn, Aberystwyth, Ceredigion SY24 5AQ

www.atebol.com

ISBN: 978-1-907004-90-2

CYNNWYS

1. Lleoliadau'r Nofel

2. Marion Eames

Marion Eames oedd un o brif nofelwyr Cymru yn ystod ail hanner yr ugeinfed ganrif. Mae ganddi chwe nofel i gyd, ond 'Y Stafell Ddirgel' yw'r enwocaf ohonyn nhw.

Cafodd ei geni ar aelwyd Gymraeg yn ardal Lerpwl, ond cafodd ei magu yn Nolgellau, ac yno yr aeth i'r ysgol. Tra oedd Marion Eames yn y coleg yn Llundain cyfarfu â Griffith Williams a ddaeth yn ddiweddarach yn ŵr iddi. Roedd yn Grynwr, ac ef a gyflwynodd syniadau'r Crynwyr i Marion Eames. Oherwydd hynny, a'r ffaith fod gymaint o ddylanwad y Crynwyr ar Ddolgellau, gafaelodd yr hanes ynddi, ac fe gafodd ei hysbrydoli i ysgrifennu nofel am y cyfnod arbennig hwn.

Wedi blynyddoedd yn gweithio yn y BBC yng Nghaerdydd, dychwelodd i Ddolgellau, a bu'n byw yno hyd ei marwolaeth yn 2007.

3. Cyd-destun y nofel

Cefndir Hanesyddol a Chrefyddol

Mae'r cefndir hanesyddol a chrefyddol yn allweddol i'r nofel 'Y Stafell Ddirgel'. Mae'r nofel yn agor yn y flwyddyn 1672, ac yn y cyfnod hwn Eglwys Loegr sy'n rheoli'r wlad.

O 1653 i 1658 Oliver Cromwell oedd yn rheoli yn Lloegr. Roedd Cromwell yn Biwritan, hynny yw, roedd yn credu'n gryf y dylai pawb fod yn gweithio'n galed er mwyn cyrraedd y nefoedd. Nid oedd yn credu y dylai neb fwynhau bywyd a chael hwyl os nad oedd pwrpas i'r mwynhau hwnnw a dyna arwyddocâd y cyfeiriad ar ddechrau'r nofel fod 'Olifer a'i griw' wedi 'esgymuno chwerthin o'r tir.' Gwaharddwyd pethau megis rhai chwaraeon, ac roedd gwisgoedd rhy lliwgar hefyd wedi cael eu gwahardd.

Bu farw Cromwell, ac yn 1660 daeth Siarl II yn frenin. Dechreuodd pethau newid, ac yn araf, daeth yr hen ffordd o fyw yn ei hôl, gyda mwy o oddefgarwch. Ond er gwaethaf hyn, doedd pawb ddim yn cael llonydd i wneud fel yr oeddynt yn ei ddymuno. Roedd y Crynwyr yn dioddef mwy a mwy o erledigaeth o dan law'r llywodraeth a'r Eglwys.

Roedd Deddf Goddefgarwch 1689 wedi rhoi ychydig mwy o ryddid i bobl addoli fel y dymunent, ond nid oedd hyn yn ddigonol, ac yn fuan iawn gwaethygodd yr erledigaeth. Un rheswm am hyn oedd nad oedd y Crynwyr yn fodlon talu degwm (1/10 o'u hincwm) i'r Eglwys, ac felly fe gafodd llawer eu lladd, a chollodd rhai eu tiroedd. Doedden nhw chwaith ddim yn credu mewn tyngu llw o ffyddlondeb i'r Brenin. Ffyddlondeb i Dduw oedd y peth pwysicaf mewn bywyd iddyn nhw.

Byddai'r Crynwyr yn dioddef yn fwy nag aelodau eraill y gymdeithas. Roedd yr Anghydffurfwyr (fel yr Annibynwyr a'r Methodistiaid) yn cael mwy o ryddid i addoli fel y mynnent.

Mae nifer o'r cymeriadau yn y nofel yn gymeriadau hanesyddol. Yn eu plith mae Rowland Ellis, Meg, Marged Owen, Ellis Puw a Robert Owen.

Lleoliad y Nofel

Mae'r nofel wedi ei lleoli yn ardal Dolgellau. Mae Dolgellau yn dref yng Ngwynedd, rhwng Machynlleth a Phorthmadog ar ochr orllewinol Cymru.

Mae Bryn Mawr, sef cartref Rowland Ellis, yn dal i sefyll heddiw, tua dwy filltir o ganol Dolgellau i gyfeiriad Cader Idris.

Yma y cafodd Rowland Ellis ei eni a'i fagu, ac oddi yma yr aeth i Bensylfania yn 1686. Pan gyrhaeddodd Pensylfania, cododd dŷ yno a'i alw yn Bryn Mawr. Yn anffodus, prynodd gŵr o'r enw Mr Harrington y tŷ, a Harrington House yw'r enw ar y lle heddiw. Ond mae yna ardal ym Mhensylfania o'r enw Bryn Mawr hyd y dydd heddiw.

Heb fod ymhell o dre Dolgellau mae hen blasty Dolserau lle'r oedd Robert a Jane Owen yn byw.

Brynmawr

Gwesty Dolserau heddiw. Mae'r adeilad gwreiddiol wedi'i ddymchwel.

Ynghanol y dref, mae'r adeilad lle cafodd y Crynwyr eu carcharu, a'r Eglwys a fu'n gymaint rhan o'u herledigaeth nhw.

Mae'n werth ymweld â'r fynwent yn Nhyddyn y Garreg lle cafodd nifer o'r Crynwyr eu claddu. Cafodd y tir ei roi i'r Crynwyr gan deulu Tyddyn y Garreg fel lle iddynt gael eu claddu gan na fyddai hawl ganddynt gael eu claddu yn nhir yr Eglwys. Mae'r cerrig beddau yn dal i sefyll yno heddiw.

Tyddyn y Garreg heddiw

4. Crynodeb o'r stori

Rhan 1

Mae'r nofel yn agor yn y ffair yn Nolgellau lle mae torf o bobl yn amlwg yn cael hwyl. Ond dydy Rowland Ellis ddim yn teimlo ei fod yn perthyn i'r rhialtwch hwn. Mae hen wraig o'r enw Betsan Prys yn cael ei rhoi yn y Gadair Goch a'i boddi fel gwrach. Mae'r cyfan yn troi stumog Rowland Ellis, ac mae'n dychwelyd at ei wraig, Meg, ym Mrynmawr.

Mae'r ddau ohonyn nhw'n mynd allan i Blygain yr Hengwrt, a'u gwas Ellis Puw yn mynd i ymweld ag un o'r Crynwyr, sef Ifan Roberts, yn y carchar.

Daw Rowland Ellis yn fwy ymwybodol ei fod yn cytuno gyda'r Crynwyr, ac mae Meg yn teimlo ei fod yn meddwl mwy ohonyn nhw nag ohoni hi.

Mae Rowland Ellis yn mynd i un o gyfarfodydd y Crynwyr, ac mae'n sylweddoli ei fod yn un ohonyn nhw bellach. Mae Meg yn ceisio cael erthyliad ond mae'n methu. Mae'i gŵr yn ymwneud mwy a mwy â'r Crynwyr, ac mae'n mynd i gyfarfodydd yn Lloegr erbyn hyn.

Mae Meg yn cuddio arian mewn cist er mwyn cael digon i ddianc rywbryd, ond mae un o'r gweision, sef Huw Morris, yn darganfod hyn. Mae Meg yn marw ar enedigaeth ei hail blentyn.

Rhan 2

Mae Ellis Puw yn gofyn i Dorcas, merch Ifan a Sinai Roberts, ei briodi. Mae chwaer Dorcas, sef Lisa, morwyn ym Mrynmawr, yn mynd i'r ffair, ac mae'n cyfarfod Huw Morris yno. Ar y ffordd adref, mae Huw yn treisio Lisa, ac mae Rowland Ellis yn ei ddiswyddo. Mae'r Crynwyr yn awr yn sylweddoli bod yr erlid yn gwaethygu, ac mae Rowland Ellis yn anfon llythyr at ei gyfnither, Marged Owen, Dyffrydan yn rhoi hanes ei gyfarfyddiad â William Penn. Mae Penn yn ceisio gwerthu'r syniad o symud i'r Amerig er mwyn dechrau bywyd newydd.

Mae Lisa a Dorcas yn cael ymweliad gan ddau gwnstabl yn chwilio am Ellis Puw er mwyn ei arestio am greu aflonyddwch.

Daw Rowland Ellis yn ôl o Lundain ac erbyn hyn mae Ellis Puw wedi'i garcharu. Mae Dorcas a Rowland Ellis yn mynd i'w weld. Mae'n gofyn i'r Ustus Lefi Huws ryddhau Ellis gan gynnig mynd i'r carchar ei hun yn lle Ellis, ond dydy e ddim yn llwyddo.

Mae nifer o'r Crynwyr, gan gynnwys Rowland Ellis wedi eu carcharu, yna yn cael eu rhyddhau wedi i'r awdurdodau fynd â pheth o'u heiddo. Bu raid i'r rhai tlotaf, gan gynnwys Dorcas ac Ellis Puw, aros yn y carchar ond mae Rowland Ellis yn trefnu fod mwy o'i stoc yn mynd er mwyn eu rhyddhau nhw hefyd.

Mae Marged Owen a Rowland Ellis yn trefnu priodi. Mae Shadrach yn cyhuddo Dorcas o fod yn wrach, ac mae'r dorf yn ei rhoi yn y Gadair Goch a'i boddi.

Mae Thomas Lloyd, Dolobran, yn sôn wrth y Crynwyr am y syniad o ymfudo i'r Amerig.

Mae Rowland Ellis a rhai o'r Crynwyr yn ôl yn y carchar. Mae milwyr yn dod i'w hebrwng i'r llys barn yn y Bala. Maent yn cael eu cyhuddo gan y Barnwr Walcott o ddod â gallu tramor i'r wlad achos roedden nhw'n ochri gyda'r Pab yn hytrach na Choron Lloegr. Maen nhw'n cael eu barnu'n euog ac mae'r dynion yn cael eu dedfrydu i gael eu crogi a'u pedrannu (torri eu cyrff yn bedwar darn) a'r gwragedd i gael eu llosgi. Mae neges yn cyrraedd oddi wrth y Barnwr Hale yn profi bod y gosb o grogi yn anghyfreithlon yn yr achos yma. Mae'r Crynwyr yn cael eu rhyddhau.

Mae Rowland a Marged yn priodi. Maen nhw'n cael mab a merch. Mae Siôn ap Siôn a Thomas Lloyd yn ceisio perswadio Rowland Ellis i ymfudo. Mae Marged yn poeni y byddai hyn yn rhannu'r Crynwyr, ac felly mae'n dweud bod angen i bawb fynd.

Mae nifer o Grynwyr yn prynu tir ym Mhensylfania. Mae William Penn yn cytuno y byddai'r Cymry yn gallu byw yn agos at ei gilydd yno. Mae Rowland yn penderfynu mynd wedi i Lisa ofyn a fyddai hi a Tomos y gwas yn gallu dod i'r Amerig gyda nhw. Mae'n anfon Lisa a Tomos gyda'r criw cyntaf i baratoi'r ffordd ar ei gyfer ef. Mae Ellis yn sôn ei fod am briodi Sinai Roberts.

Mae Rowland a Marged yn teithio i Aberdaugleddau i ffarwelio â'r criw cyntaf o Grynwyr i fynd. Mae Marged Owen yn sylweddoli faint y golled.

5. Plot ac adeiladwaith y nofel

Daw'r teitl 'Y Stafell Ddirgel' o eiriau Morgan Llwyd, 'Dos i mewn i'r stafell ddirgel, yr hon yw goleuni Duw ynot.' Roedd Morgan Llwyd yn awdur o'r 17 ganrif ac roedd yn credu bod Duw yn bodoli yng nghalon pob unigolyn, 'yr ystafell ddirgel', ac nid oedd angen i ddyn wneud dim ond gwrando ac ufuddhau iddo.

Nofel sydd wedi cael ei hysgrifennu yn y trydydd person yw'r nofel hon. Rowland Ellis yw'r prif gymeriad, ac mae Marion Eames yn neilltuo'r rhan fwyaf o'r nofel i ddilyn ei hanes ef.

Amser y nofel

Mae'r nofel wedi'i hysgrifennu yn yr amser gorffennol, h.y. mae'r awdur wedi dewis ysgrifennu gan ddefnyddio berfau'n cyfeirio'r ôl at yr amser a fu.

Sylwch sut y mae'r nofel yn agor: 'Daeth y canu a'r dawnsio yn ôl i Ffair Dynewid yn flwyddyn honno.'

Mae hyn yn addas gan mai nofel hanesyddol yw 'Y Stafell Ddirgel', ac yn syth daw'r darllenydd i weld ac i glywed nodweddion o'r cyfnod.

Dulliau datgelu

Mae'r nofel yn agor gyda hwyl ac asbri'r ffair, a daw cyfnod y nofel yn amlwg yn syth, sef y cyfnod yn dilyn yr amser y bu i 'Olifar a'i griw esgymuno chwerthin o'r tir.'

Mae'n amlwg o'r dechrau bod y prif gymeriad, Rowland Ellis yn ddyn da a pharchus. Mae mor wahanol i Hywel Vaughan, sydd yn llygadu 'merch ifanc, aeddfed ei chorff'. Mae Rowland Ellis yn meddwl am ei wraig: 'Y gwir oedd nad oedd Meg fyth allan o'i feddwl.'

Mae yma ddefnydd o awgrym yn y stori. Wrth i Rowland Ellis addo y byddai'n dysgu darllen i'w was, Ellis Puw, meddylia fel hyn: 'Gobeithio nag ydw i wedi dechrau rhywbeth i mi a fydd yn fagl imi yn y pen draw.' A yw Rowland Ellis mor gynnar â hyn yn rhagweld bod yna berygl ei fod yn cytuno â syniadau'r Crynwyr?

Llinyn stori

Prif linyn y stori yw taith ysbrydol Rowland Ellis i fod yn Grynwr. Nid yw'n cytuno â nhw ar ddechrau'r nofel, ac yn wir yn ei sgwrs ag Ellis Puw mae'n ddirmygus ohonyn nhw ac yn eu gwadu: 'Doedd fy nhad 'rioed yn un ohonyn nhw, Ellis Puw.'

Serch hynny, erbyn y diwedd, mae wedi dod yn un o'r bobl amlycaf yn y mudiad.

Mae nifer o bobl a ffactorau yn sefyll yn ffordd Rowland Ellis.

- Ei deimladau tuag at ei wraig
- Y posibilrwydd o golli'r tŷ a godwyd gan ei daid, Rhys Lewis
- Ymosodiadau gan rai o'r bobl leol
- Cael ei roi yn y carchar

Er hyn i gyd, mae Rowland Ellis yn dod yn Grynwr. Gan ei fod yn dioddef llawer ar y daith, gwelwn fod ei ffydd yn golygu llawer iddo.

Mae nifer o fân linynnau yn y stori:

- Bywyd Brynmawr
- Carwriaeth Dorcas ac Ellis
- Cyfrwystra a chreulondeb Huw Morris
- Dioddefaint Sinai Roberts a'i theulu
- Bywyd y bobl uchaf yn y gymdeithas e.e. Hywel Vaughan

Mae'r rhain i gyd yn cael eu gwau at ei gilydd o fewn y nofel, ac mae pob un ohonyn nhw'n cyfrannu mewn rhyw ffordd tuag at ddatblygiad cymeriad Rowland Ellis.

6. Cip ar y cymeriadau

Rowland Ellis	Dyma'r prif gymeriad. Mae'n byw ym Mrynmawr, Dolgellau. Ar y dechrau, mae'n ŵr i Meg Ellis ac yn ddiweddarach yn ŵr i Marged Owen. Mae ganddo ddwy ferch o'i briodas gyntaf, a phum plentyn o'i ail briodas. Canolbwynt y nofel yw sut y daw Rowland Ellis i fod yn Grynwr.
Ellis Puw	Gwas ym Mrynmawr yw Ellis. Mae'n un o'r Crynwyr ac yn gariad i Dorcas. Caiff ei erlid a'i garcharu am fod yn Grynwr. Wedi marwolaeth Dorcas, mae'n mynd o amgylch yr ardal i bregethu. Er mwyn edrych ar ôl ei theulu, mae'n gofyn i Sinai Roberts, mam Dorcas, ei briodi.
Meg Ellis	Gwraig gyntaf Rowland Ellis yw Meg. Roedd hi'n dod o deulu o dras uchel, a theimlai nad oedd Brynmawr yn dŷ digon da i un o'i statws hi. Hoffai hi bethau crand bywyd, e.e. gwisgoedd sidan a mynd allan i fwynhau. Teimlai ei bod yn pellhau oddi wrth ei gŵr. Bu farw ar enedigaeth ei hail ferch.
Marged Owen	Cyfnither Rowland Ellis yw Marged. Dyma'r un sy'n dod yn ail wraig i Rowland. Mae'n dangos ei bod yn gymeriad dibynadwy a chadarn drwy gydol y nofel. Mae'n cael ei darlunio fel gwraig hollol gyferbyniol i Meg.
Jane Owen	Gwraig Robert Owen, Dolserau yw Jane. Roedd hi'n un o'r Crynwyr, ac roedden nhw'n cwrdd yn ei chartref hi'n aml iawn. Hi yw'r un sy'n rhoi'r gwahoddiad i Rowland Ellis

ddod i gyfarfod y Crynwyr. Mae'n chwaer i Hywel Vaughan ac yn nathliadau'r plygain yn ei dŷ ef y mae Rowland Ellis a Jane Owen yn cyfarfod.

Robert Owen

Gŵr Jane Owen yw Robert. Mae'n cael ei garcharu am ei ddaliadau crefyddol. Mae'n gyn-filwr, ac yn gefnder i'r Ustus Lefi Huws. Mae'n un o brif arweinwyr y Crynwyr yn ardal Dolgellau. Mae'n dangos cryfder ei ffydd wrth iddo fynd i'r Eglwys a dioddef ymosodiadau geiriol a chorfforol.

Hywel Vaughan

Un o brif uchelwyr yr ardal yw Hywel Vaughan. Mae'n byw ym mhlasty'r Hengwrt y tu allan i Ddolgellau. Mae'n un sy'n ffyrnig yn erbyn y Crynwyr, ac yn casáu'r ffaith fod ei chwaer ei hun yn un ohonyn nhw. Roedd yn gefnder o bell i Rowland Ellis.

Lisa Roberts

Morwyn ym Mrynmawr yw Lisa. Cafodd gynnig swydd yno gan Rowland Ellis wedi marwolaeth ei thad, Ifan Roberts.

Dorcas

Merch hynaf Sinai ac Ifan Roberts yw Dorcas. Arhosodd adref i edrych ar ôl ei brodyr a'i chwiorydd. Chwaer Lisa Roberts yw hi. Daeth yn gariad i Ellis Puw yn ystod y nofel. Bu farw wedi iddi gael ei throchi yn y Gadair Goch.

Malan

Hen forwyn Brynmawr yw Malan. Roedd ychydig yn genfigennus o'r forwyn newydd a ddaeth i Frynmawr. Bu farw wedi i rywun ymosod ar Frynmawr.

Huw Morris

Gwas ym Mrynmawr yw Huw. Mae'n un uchel ei gloch, ac mae'n gryf o ran corff. Roedd yn aml yn gwneud hwyl am ben Ellis Puw a'r Crynwyr eraill. Mae yna awgrym yn y nofel ei fod wedi treisio Lisa. Oherwydd hyn, fe gafodd ei anfon o Frynmawr gan Rowland Ellis.

Lefi Huws

Ustus yn ardal Dolgellau yw Lefi. Bu'n swyddog ifanc ym myddin John Jones, Maesygarnedd. Roedd yn gefnder i Robert Owen. Roedd yn erbyn y Crynwyr am ei fod yn credu mewn cyfraith a threfn.

Jeremy Mellor

Roedd yn ŵr uchel o fewn mudiad y Crynwyr. Teithiodd i Ddolgellau o Gaerhirfryn. Dioddefodd ymosodiad gan bobl yr Eglwys.

7. Dadansoddiad o'r prif gymeriadau

1. ROWLAND ELLIS

Ar ddechrau'r ail bennod yn y nofel cawn hanes manwl o gefndir Rowland Ellis. Mae ei deulu'n ymestyn yn ôl at Feurig, Arglwydd Dyfed, ac mae'n Gymro i'r carn, er bod yna waed Seisnig yn ei wythiennau.

Cymeriad hardd, urddasol yw Rowland Ellis. Dyma feddyliau Meg amdano yn nathliadau'r plygain yn yr Hengwrt: 'Roedd o gyn hardded â neb yn yr ardal gyda'i wallt du a'i lygad treiddgar.'

Mae Rowland Ellis yn dangos o'r dechrau ei fod yn gymeriad sensitif sydd o hyd yn meddwl am bobl eraill. Cymeriad anhunanol yw hwn, ac o hyd yn ceisio gwneud yr hyn oedd yn iawn. Y cyfeiriad cyntaf ato yn y nofel yw fel dyn 'â golwg trwblus yn ei lygaid,' oherwydd bod y ddau arall a oedd yn y cwmni'n edrych yn awgrymog ar Nans y Goetre.

Teimla'n euog ei fod yn rhan o gymdeithas sy'n gallu gwneud peth mor greulon â boddi gwrachod: 'Crynai o'i gorun i'w draed gan hunan gasineb.' Mae'n teimlo hefyd fod yna rywbeth mawr o'i le ar yr ardal: 'Llanwyd ei fron â chariad poenus at y fro lle magwyd ef.'

Un o'r rhai sydd wedi dod i adnabod Rowland Ellis orau yw ei was, Ellis Puw. Wrth ei drafod gydag Ifan Roberts, mae Ellis Puw'n synhwyro fod Rowland Ellis yn agosáu at y Crynwyr, 'ond fod o'n methu'n lân â chymryd y cam cyntaf.'

Mae'n ceisio ymwrthod ag unrhyw awgrym ei fod yn Grynwr, ond dadlau yn erbyn y gwir yr oedd. Pan awgrymodd Jane Owen ei bod yn synhwyro fod Rowland Ellis wedi gweld y goleuni, clywodd 'ei geiriau'n mynd trwyddo fel saeth.'

Mae'r ffaith ei fod wedi mynd â bwyd i 'wraig y Cwacer' yn dilyn marwolaeth ei gŵr yn awgrym cynnar yn y nofel ei fod yn dechrau troi'n Grynwr.

Penderfyna fynd i un o gyfarfodydd y Crynwyr yn Nolserau, ond 'ni wyddai Rowland yn iawn paham y dewisodd fynd i Ddolserau y noson honno.' Dim ond wedi iddo fynd i'r cyfarfod hwnnw y mae'n sylweddoli'n llawn ei fod yn Grynwr. 'Yn sydyn teimlodd fod y gwirionedd ganddo.'

Mae Rowland yn teimlo'n euog oherwydd ei fod ef a'i wraig, Meg, yn pellhau. Mae'n dod i wybod fod Meg wedi ceisio erthylu eu plentyn, ond yn hytrach na bod yn ddig ati, mae'n teimlo'n ddig ato'i hun: 'Arnaf fi mae'r bai am hyn, yn gadael i'r dieithrwch yma dyfu rhyngom.' Mae hyn yn dangos ei fod yn gymeriad sy'n gweld bai ynddo ef ei hun cyn gweld bai mewn eraill.

Mae ymlyniad Rowland Ellis at y Crynwyr yn dod yn fwy cyhoeddus wrth iddo achub Siân Morris, merch y teiliwr rhag y dyrfa. 'O hyn allan byddai enw gŵr Brynmawr yn gysylltiedig am byth â'r Crynwyr.'

Mae'n synhwyro fod ganddo berthynas arbennig â'i gyfnither, Marged Owen, Dyffrydan. 'Bob tro y siaradai â Marged fe'i cafodd ei hun yn dweud pethau yn onest ac yn agored.' Mae hyn yn cyferbynnu gyda'r berthynas oeraidd sydd ganddo â'i wraig.

Mae Rowland Ellis yn dod yn amlycach o fewn mudiad y Crynwyr. Mae'n arweinydd naturiol: 'Roedd cadernid arweinydd yn y llais a'r llygaid miniog.' Mae'n dechrau mynd o amgylch i ledaenu'r neges, trwy Gymru a thu draw i'r ffin. Daw hyn ag ef i drwbl gyda'r dorf yn Nolgellau. Mae'r dorf yn ymosod arno ef a Jeremy Mellor pan oedden nhw'n annerch y dorf.

Dau benderfyniad mawr sydd gan Rowland Ellis i'w gwneud yn ystod y nofel, sef a yw'n mynd i droi'n Grynwr, ac a yw am ymfudo i'r Amerig. Mae'n brwydro yn erbyn y ddau benderfyniad, ond yn ildio yn y pen draw. 'Ni allai ei weld ei hun yn unman ond ym Mrynmawr.'

Pan oedd yn y llys yn clywed y cyhuddiadau yn erbyn y Crynwyr, 'sylweddolodd mai dyma'r tro cyntaf iddo amgyffred amdano'i hun yn mynd i'r America.' Ond yn y diwedd, penderfynodd beidio â mynd. Mae'r ffaith ei fod yn cymryd amser hir wrth ei benderfyniadau yn dangos ei fod yn gymeriad gofalus, ac nad yw eisiau gwneud dim byd yn fyrbwyll. Nid yw'n penderfynu'n derfynol ei fod am ymfudo hyd nes i Lisa Roberts ddweud y byddai hi a Tomos yn dod hefyd petai Rowland Ellis a'i deulu'n mynd.

2. MEG ELLIS

Cawn yr argraff o'r dechrau mai un sy'n hoffi pethau materol bywyd yn hytrach na'r pethau ysbrydol yw Meg. 'Roedd hi mor hoff o ddawnsio, dawnsio a chanu'r delyn.' Mae'r ffordd y mae'n edrych yn bwysig iddi. Mae hi'n disgwyl plentyn, ac 'edrychai ar ei chorff gyda diflastod.' Arwydd yw hyn o'r hunanoldeb sy'n perthyn iddi.

Enghraifft arall sy'n dangos bod ei golwg yn bwysig iddi yw ei bod yn edrych ymlaen at gael y plentyn er mwyn gallu gwisgo gŵn 'melfed glas wedi ei frodio â glas lliw hufen.' Mae yma elfen o genfigen a chystadleuaeth yn Meg wrth feddwl am ei gwisg: 'Gallai fynd i'r Hengwrt yn hwnnw wedyn ac edrych cystal bob blewyn â Lowri Vaughan a gwraig Corsygedol.' Yn ei barn hi, dydy Brynmawr ddim yn dŷ digon da iddi: 'Tai hi ddim ond yn gallu perswadio Rowland i symud i dŷ mwy teilwng o'u safle.' Mae hi wrth ei bodd gyda'r rubanau a'r siôl y mae Rowland yn eu rhoi yn anrheg iddi o'r ffair.

Rydym yn sylweddoli bod pellter rhwng y ddau o'r dechrau: 'Roedd hi mor agos, ac eto mor bell – mor gaeth yn ei phrydferthwch.'

Mae hi mor hunanol fel nad yw'n sylwi fod yna awyrgylch drymaidd yn y gegin ym Mrynmawr wrth y bwrdd bwyd. 'Dim ond Meg oedd fel petai'n anymwybodol o unrhyw beth allan o'r cyffredin yn yr awyrgylch.'

Mae hi wedi edrych ymlaen gymaint at ddathliadau'r plygain yn yr Hengwrt: 'Rhy ifanc a rhy brydferth i'w chau ei hun yn y mynyddoedd.'

Mae hi'n dyheu am sylw, ac mae hi wrth ei bodd pan fo pobl uchel eu statws yn dangos diddordeb ynddi, pobl fel Hywel Vaughan. Mae'n cyfaddef ei hun ei bod hi'n 'fflyrt', ond nid yw'n gweld dim byd o'i le yn hynny. Mae'r ffaith ei bod yn teimlo'i bod hi o safon uchel yn y gymdeithas i'w weld yn y dyfyniad, 'Fe'i ganwyd hi i fod yn foneddiges.'

Mae hi'n gymeriad ansicr iawn ohoni'i hun oddi ar y plygain, ers iddi weld yr olwg bell yn llygad ei gŵr. Gwelwn ochr arall i'r Meg urddasol, fonheddig wrth iddi yrru ar gefn ei cheffyl, 'a'i llais fel llais gwrach yn gweiddi arno.'

Gwelwn ei chreulondeb wrth iddi fethu â theimlo cydymdeimlad gyda Sinai Roberts am farwolaeth ei gŵr. Mae'n edliw i Rowland fynd yno at 'wraig y Cwacer' i gydymdeimlo. 'Hyd yn oed yn ei thymer roedd Meg yn brydferth,' yw barn Rowland amdani wrth iddi wylltio ato. Ond nid yr un teimladau sydd gan Meg tuag at Rowland. Mae hi'n ei gasáu am wneud y fath beth.

Mae Meg yn ceisio cael erthyliad ac mae hyn yn dangos ei hunanoldeb yn glir. Ond nid dyma'r unig beth y mae'n ei gadw rhag ei gŵr. Hunanoldeb mwy materol yw casglu'r arian fesul tipyn er mwyn gwneud cynlluniau i sefyll ar ei thraed ei hun. Mae'r erthyliad yn methu, a bu farw ar enedigaeth Siân, ei hail ferch.

3. ELLIS PUW

Rydym yn cyfarfod ag Ellis Puw gyntaf yn ystod ei noson gyntaf fel gwas ym Mrynmawr. 'Bachgen ag wyneb main ac edrychiad swil' yw'r disgrifiad ohono. Dim ond tua phymtheg oed yw Ellis Puw, ond mae eisoes wedi gweithio am saith mlynedd fel gwas yn Nhyddyn y Garreg. Yn ôl Huw Morris, mae'n 'sgolor' gan ei fod wedi dod â nifer o lyfrau gydag ef.

Mae ei onestrwydd yn dod yn amlwg yn fuan iawn pan mae'n cyfaddef nad yw'n gallu darllen. Serch hynny, mae'n awyddus i ddysgu, ac mae Rowland Ellis yn cynnig ei helpu. Mae'n awgrymu'n gryf ei fod yn Grynwr oherwydd mae'n dyfynnu geiriau Morgan Llwyd, geiriau sy'n 'beryglus iawn' ym marn Rowland Ellis.

'I greadur mor eiddil yr olwg, roedd ganddo fysedd cryfion ac ystwyth.' Defnyddia'r rhain i wella pobl yn gorfforol. Mae'n llwyddo i dawelu poenau Steffan, mab Sinai ac Ifan Roberts. Hefyd mae'n llwyddo i leihau poenau Ifan Roberts yn y carchar.

Mae Ellis Puw yn ŵr ifanc doeth iawn, ac nid yw yn uchel ei gloch. Mae Jane Owen yn ei grisialu i'r dim pan mae'n defnyddio'r ddihareb, 'Doeth pob tawgar' i'w ddisgrifio.

Mae'n berson sy'n meddwl am eraill yn lle amdano'i hun. Pan mae'n clywed am farwolaeth Ifan Roberts, mae'n mynd yn syth i weld ei wraig, 'a'i galon yn gwaedu drosti a'i naw plentyn.' Does dim rhyfedd fod Sinai Roberts yn dweud amdano, 'Rwyt ti fel tŵr cadarn imi.'

Mae awgrym cynnar iawn fod ganddo deimladau tuag at Dorcas. Pan mae'n clywed mai Lisa fyddai'n dod yn forwyn i Frynmawr yn hytrach na Dorcas, 'aeth gwefr o siomiant dros Ellis Puw.'

Bachgen â safonau moesol uchel yw Ellis Puw. Nid yw am glywed am orchestion carwriaethol Huw Morris, a phan mae hwnnw'n awgrymu fod Ellis a Dorcas yn gwneud mwy na charu'n barchus, mae hyn yn mynd yn drech nag Ellis Puw. Am y tro cyntaf, mae'n gadael i'w deimladau gael y gorau arno, ac mae'n ymosod ar Huw Morris. Ond gan fod hwnnw lawer cryfach, nid yw'n gwneud unrhyw niwed.

Mae'n wrthbwynt i nifer o gymeriadau mwyaf amheus y nofel. Mae'r gwahaniaeth rhyngddo â Huw Morris yn fawr, ac mae Dorcas yn dweud amdano, 'Ellis a oedd mor syml, mor ddifeddwl drwg, mor lân, mor dyner.'

Mae'n cael ei garcharu am ei ddaliadau, a hyd yn oed pan mae pethau bron ar eu gwaethaf i Ellis Puw, pan mae Rowland Ellis yn gweld ei was yn gaeth, 'rhyfeddai at ei addfwynder a'i ostyngeiddrwydd, ac at y tawelwch digyffro a feddiannai nid yn unig efe ond Dorcas hefyd.' Mae'n glir felly fod Ellis Puw a Dorcas o'r un natur. Mae aeddfedrwydd yn rhan bwysig o gymeriad Ellis Puw. Mae hyn yn dod yn amlwg wedi marwolaeth Dorcas. Mae'n cadw'i deimladau iddo'i hun: 'Ac eto roedd yna ryw lonyddwch newydd, dyfnach yn perthyn iddo, ac am y tro cyntaf erioed, teimlai'r meistr fod y gwas yn hŷn nag ef.'

Gweithred anhunanol gan Ellis Puw yw cynnig priodi Sinai Roberts. Mae'n gwneud hyn gan mai dyma'r ffordd fwyaf ymarferol o helpu'r teulu sy'n golygu gymaint iddo.

4. MARGED OWEN

Yr adeg y down i glywed gyntaf am Marged Owen, Dyffrydan yw pan mae Rowland Ellis yn mynd i Ddolserau i gyfarfod y Crynwyr. Mae'n sylwi bod Marged Owen, ei gyfnither, yno. Serch hynny, nid yw'n gwneud mwy na'i henwi. Mewn gwirionedd, y tro cyntaf iddo sylwi arni yw pan mae'n golchi'r gwaed oddi ar wyneb Robert Owen ar ôl iddo ddioddef ymosodiad y dorf y tu allan i'r eglwys. 'Sylwodd Rowland ynghanol y berw gwyllt ar ei thawelwch a'i threfnusrwydd.' Yn syth, gwelwn fod Marged Owen yn berson gwahanol iawn i Meg, ei wraig. Mae hi yno hefyd yn nes ymlaen pan mae Siân Morris yn rhedeg yn noethlymun, a Rowland Ellis yn ei hachub. 'Nid oedd neb wedi sylwi ar Marged Owen, Dyffrydan yn dod i mewn gydag ystên o ddŵr.' Cymeriad yn gwneud ei gwaith yn dawel a diffwdan yw hi. Nid yw'n un sy'n crefu am sylw, ond mae'n meddwl am bobl eraill ac yn llawn tynerwch.

Wedi marwolaeth Meg, mae Marged Owen yn gefn i Rowland Ellis, ac mae'n troi a throi yn ei feddwl a ddylai ofyn iddi ei briodi? Mae'n amlwg bod pherthynas dda ganddi gyda Siân ac Ann: 'Hi oedd yr unig un a allai drin y plant.' Mae ganddi wên 'oedd yn dechrau yn y llygaid cyn cyrraedd y gwefusau.'

Mae'n gymeriad treiddgar, sy'n adnabod pobl yn dda. Mae'n gallu synhwyro bod Rowland Ellis yn dechrau cytuno â'r syniad o symud, bron cyn i Rowland ei hun sylweddoli hynny. 'Mae o'n meddalu tuag atynt, meddai llais y tu mewn i Farged.'

Arwydd o bwysigrwydd y cymeriad erbyn y diwedd yw bod yr awdur wedi rhoi'r gair olaf iddi: 'Mae rhin ein bro ni ar fwrdd y llong yna. Y golled...O! Y golled … o'

5. HUW MORRIS

Mae Huw Morris yn wrthbwynt i Ellis Puw fel gwas ym Mrynmawr. Mae'n was da, ond yn un byrbwyll ei dafod. Mae'n gyfrwys, ac o hyd yn ceisio troi'r dŵr i'w felin ei hun. Mae'n gymeriad hunanol, ac o hyd yn ceisio ffordd i wneud ei fywyd ei hun yn well, a phoeni dim am neb arall. Mae'n gwybod sut i gael amser da, ac os oes unrhyw beth yn sefyll yn ei ffordd, mae'n gwneud ei orau i gael gwared ohono.

Y tro cyntaf i ni ei gwrdd yw ym Mrynmawr pan mae Ellis Puw yn cyrraedd yno'r tro cyntaf. Mae'n un sy'n mwynhau tynnu coes, ond nid yw'n gwybod pryd i dynnu'r llinell rhwng tynnu coes a bod yn greulon. 'Bob tro yr agorai ei geg roedd ei eiriau fel neidr yn barod i daro.' Nid yw'n deall pam y mae gan Ellis Puw gymaint o ddiddordeb mewn llyfrau: 'Fe wnâi fwy o les iddo fodio Nans y Goetre na bodio llyfre byth a beunydd,' yw sylw Huw Morris am Ellis Puw.

Mae'n ddyn cyfrwys iawn: 'Dim ond yntau, Huw Morris, oedd â'r llygaid i weld a'r clustiau i glywed.' Mae'n gwybod yn iawn pryd i siarad a phryd i fod yn dawel: 'Weithiau byddai hwyl i'w gael o floeddio'n sydyn nes bod y creadur o'i flaen bron â neidio allan o'i groen. Dro arall fe dalai iddo wylio'n ddyfal heb gael ei weld...' Dyma'n union beth y mae'n ei wneud wrth iddo sylwi ar Meg yn cyfri'r arian, a cheisio'i chael i roi hanner yr arian iddo.

Mae'n un sy'n dangos ffug-garedigrwydd fwy nag unwaith. Mae'n cynnig danfon Meg i'r tŷ wedi iddi fod yn marchogaeth Barnabas, ond dim ond er mwyn ei holi ymhellach. Hefyd mae'n cynnig danfon Lisa Roberts o'r ffair, ond dim ond er mwyn cymryd mantais ohoni.

Caiff ei anfon o Frynmawr am gymryd mantais o Lisa Roberts, a chael gwaith gan Hywel Vaughan. Ond hyd yn oed wedyn, mae'n ceisio dial ar Rowland Ellis drwy roi gwybodaeth i'r awdurdodau ynghylch y Crynwyr.

Mae'n gymeriad lliwgar, sy'n dod â chyffro i'r nofel. Mae'n ddihiryn o fath gwahanol i Hywel Vaughan. Gellid dadlau nad oedd Huw ond yn gwneud beth fyddai'r rhan fwyaf o weision ffermydd yn ei wneud yn y cyfnod, sef ceisio cael amser da, ond byddai eraill yn dadlau ei fod wedi mynd yn rhy bell.

6. LISA ROBERTS

Dyma un o'r cymeriadau sy'n newid fwyaf yn ystod y nofel. Yn y dechrau cawn olwg arni fel merch ychydig yn benchwiban, merch sy'n mwynhau pethau'r byd hwn fel ffair a gwisgoedd lliwgar. Erbyn diwedd y nofel mae wedi aeddfedu, a hi sy'n edrych ar ôl plant Rowland Ellis, a'r fferm i bob pwrpas, tra bod y meistr yn y carchar.

Mae Rowland Ellis yn cynnig gwaith iddi ym Mrynmawr wedi marwolaeth ei thad, Ifan Roberts. Yn ôl ei mam, 'Mae hi'n bedair ar ddeg ac yn ferch gre'...'. Cawn yr argraff ei bod ychydig yn haerllug ar y dechrau, ac nid yw hyn wrth fodd yr hen forwyn: 'Pryd mae amser cinio, Malan Parri?' oedd ei chwestiwn cyntaf. Barn Malan amdani yw ei bod hi'n 'eneth fowld, ddigywilydd.'

Mae'n sylwi'n syth ar y gwahaniaeth rhwng ei chartref a Brynmawr. Mae'r crandrwydd yn apelio ati. Mae'n sylwi ar y 'cwrlidau cynnes a glân a orchuddiai'r gwely.' Nid yw'n deall pam nad yw Meg yn cymryd ati, ac mae hi'n rhy naïf i sylweddoli'i bod wedi'i chyflogi er mwyn helpu teulu Sinai Roberts. Pan mae Ellis yn dod â phecyn iddi oddi wrth Dorcas, ei chwaer, mae'n gweld mai dillad crand sydd ynddo ac mae'n eu gwisgo'n syth, 'Roedd Lisa wedi gwisgo'r ffedog a chlymu'r ruban yn ei gwallt.' Mae hyn yn adlais o Meg yn gwisgo'n grand ac yn profi bod Lisa'n dyheu am fod yr un statws â hi.

Mae'n mwynhau bywyd Brynmawr gymaint nes ei bod yn ymweld yn llai aml â'i theulu yn y Brithdir: 'Synhwyrodd y fam fod pob ymweliad yn mynd yn fwy diflas iddi.'

Nid yw Huw Morris yn hir cyn dangos diddordeb ynddi, ac ar y dechrau mae'n mwynhau'r sylw. Ond cyn bo hir, mae'r chwarae'n troi'n chwerw, a chawn olwg arall ar gymeriad Lisa. Nid y Lisa hyderus sy'n dychwelyd i Frynmawr y noson honno, ond y Lisa ofnus ac ansicr ohoni'i hun.

Dau ddigwyddiad sy'n peri i Lisa newid yw marwolaeth Malan a Dorcas. Mae'n teimlo rhyw fath o euogrwydd, ond yn lle mynd yn benisel a mewnblyg, mae'n penderfynu bod yn rhaid iddi aeddfedu fel person: 'Cymenodd ei gwisg, glanhaodd y tŷ drwyddo draw, trwsiodd ddillad y plant, gofalodd am eu bwyd...'

Mae penllanw'r newid yn dod pan mae hi a Tomos y gwas yn penderfynu ymfudo, ac yn cymryd y cam dewr o fod ymhlith y criw cyntaf i fynd.

7. DORCAS

Cariad Ellis Puw a merch hynaf Ifan a Sinai Roberts yw Dorcas. Hi yw'r un sy'n cadw trefn ar ei theulu yn y Brithdir, ac yn arbennig yn edrych ar ôl ei brawd, Steffan, sy'n sâl iawn. Mae'n dangos ei haeddfedrwydd wrth iddi gymryd cyfrifoldeb o'i theulu: 'Pymtheg oed oedd Dorcas, ond edrychai'n ddeg ar hugain heno.' Enghraifft o'i charedigrwydd oedd ei bod wedi rhoi'r pecyn dillad a rhubanau i'w chwaer, y pecyn mae hi'n ei gael gan Jane Owen, Dolserau. Mae'n gwybod y byddai Lisa'n gwerthfawrogi'r cynnwys yn fwy na hi.

Yn ystod y nofel, mae perthynas rhyngddi hi ac Ellis Puw yn datblygu ac mae hi'n cytuno i'w briodi. Mae gwahaniaeth mawr rhyngddi hi a'i chwaer, Lisa. Mae Lisa'n sylwi ar hyn wrth i'r ddwy sgwrsio: 'Mi rydw i'n hen sguthan weithiau, ac rwyt ti mor dda. Rydan ni wedi ein gwneud yn wahanol iawn i'r gilydd.'

Mae Dorcas yn gyndyn i wisgo ffrog Lisa wedi iddi gerdded drwy'r glaw, ac mae'r cwnstabliaid yn camgymryd hyn i fod yn arwydd ei bod hi'n ferch fyddai'n rhoi amser da iddyn nhw. Mae hyn yn gwneud Dorcas yn drist iawn, yn arbennig am ei bod yn amau'r hyn a wnaeth Lisa gydag un o'r cwnstabliaid.

Mae yna ddewrder arbennig yn perthyn iddi. Mae hi'n barod i gael ei charcharu dros ei chred, ac yn barod i gefnogi Ellis Puw mewn unrhyw ffordd. 'Roedd hi'n barod yn awr i wynebu unrhyw beth.'

Mae'n cael ei chamgymryd am wrach, ac mae'n cael ei boddi gan adael Ellis Puw ar ei ben ei hun.

8. JANE A ROBERT OWEN

Gŵr a gwraig yn byw yn Nolserau. Mae'r ddau ohonyn nhw yn Grynwyr. Mae Robert Owen wedi bod yn ustus heddwch, ac yn biwritan. Mae'n cael ei garcharu am ei ddaliadau yn erbyn y Breniniaethwyr. Mae Robert Owen yn cael tröedigaeth pan mae yn y carchar, ac mae'n troi'n Grynwr. 'Lle yr oedd unwaith yn dra-awdurdodol ei lais... yr oedd yn awr yn ddiymhongar ac yn ddistaw.' Mae cyfarfyddiad Rowland Ellis a Jane Owen yn llyfrgell yr Hengwrt yn un o drobwyntiau'r nofel. Mae Rowland Ellis yn sylwi ar 'dangnefedd ei gwedd.' Jane Owen sy'n awgrymu gyntaf yn y nofel fod Rowland Ellis wedi dod yn Grynwr, ac wedi 'profi drosto'i hun nerth y golau oddi mewn.'

I'r cyfarfod yn eu cartref nhw yr aeth Rowland Ellis iddo pan aeth at y Crynwyr am y tro cyntaf. Wrth glywed Robert Owen yn siarad, 'gwyddai Rowland Ellis yn awr nad oedd troi'n ôl.' Mae Robert Owen yn dioddef ymosodiad y dorf wedi iddo geisio annerch y bobl yn yr Eglwys. Wedi iddo gael ei fwrw, ymateb Robert Owen oedd: 'Os mynni, gwna hynny eto frawd.' Mae hyn yn dangos dewrder arbennig.

Mae Robert Owen yn gefnder i Lefi Huws, yr ustus. Ond mae gan y ddau ddaliadau cwbl wahanol i'w gilydd – Lefi Huws yn credu mewn cyfraith a threfn ac awdurdod Llundain, a Robert Owen yn credu mewn awdurdod uwch.

Mae Jane a Robert Owen yn mynd i'r carchar oherwydd eu cred, ac mae hyn yn cael effaith corfforol arnyn nhw: 'Jane Owen ag ugeiniau o rychau newydd o gwmpas ei cheg a'i llygaid, ei chroen fel memrwn tenau, ond ei serenedd fel lamp yn dal i oleuo'r tywyllwch.'

8. Prif themâu'r nofel

Taith Rowland Ellis tuag at y goleuni

Prif thema'r nofel yw ymchwil Rowland am yr hapusrwydd mewnol. Gwelwn ar ddechrau'r nofel nad yw'n ŵr hapus. Nid yw'n teimlo'i fod yn rhan o'r dorf sy'n boddi Betsan Prys, a gwelwn mai gŵr anhapus ydyw yn y bôn. Mae'n awyddus i blesio'i wraig, ond down i sylweddoli'n fuan nad yr un pethau sy'n bwysig i'r ddau mewn bywyd. Tra bod Meg wrth ei bodd gyda phrydferthwch allanol a statws yn y gymdeithas, tawelwch ysbryd sy'n mynd â bryd Rowland Ellis.

Mae yna nifer o awgrymiadau yn y nofel ynglŷn â beth fydd pen draw taith ysbrydol Rowland Ellis. Un ohonynt yw ei fod yn cynnig dysgu i Ellis Puw ddarllen, er bod Ellis Puw wedi dyfynnu geiriau a oedd yn 'beryglus' yng ngolwg Rowland Ellis.

Awgrym arall oedd ei fod wedi mynd i weld teulu Ifan Roberts wedi iddo farw yn y carchar. Mae'n dangos ei gefnogaeth i 'deulu'r Cwacer' drwy fynd â bwyd iddyn nhw. Mae Jane Owen yn awgrymu'n gryf fod y 'goleuni' yn perthyn iddo wrth i'r ddau siarad yn llyfrgell yr Hengwrt.

Mae Rowland yn brwydro yn erbyn y newid hwn yn ei gymeriad ar y dechrau. Nid yw'n hawdd iddo fod yn Grynwr, ond mae'n gorfod derbyn sut mae'n teimlo erbyn y diwedd. Unwaith y mae wedi rhoi arwydd cyhoeddus ei fod wedi troi i fod yn Grynwr, mae fel petai'n berson hapusach ac yn dawelach ei feddwl.

Mae'n dangos dewrder arbennig wrth ddod yn Grynwr. Mae'n dioddef ymosodiadau geiriol a chorfforol. Caiff ei daflu i'r carchar. Mae'n wynebu colli ei eiddo, ac yn y pen draw yn wynebu colli'i fywyd yn y llys barn. Ond er yr holl golli hyn, yr un peth nad yw'n ei golli yw ei ffydd.

Caredigrwydd

Un o nodweddion arbennig y Crynwyr yw caredigrwydd, ac mae yna lawer o enghreifftiau o weithredoedd caredig, boed fach neu fawr, yn y nofel.

Mae Ellis Puw yn dangos caredigrwydd arbennig trwy gydol y nofel. Ond un o'r mannau lle mae'n colli arno'i hun yw pan geisiodd ymosod ar Huw Morris. Fodd bynnag, ymosodiad yw hwn sy'n deillio o garedigrwydd a chariad Ellis Puw tuag at Dorcas. Mae Huw Morris wedi dwyn ei henw da trwy'r baw, a dyma sy'n corddi Ellis Puw. Mae Dorcas yn dangos caredigrwydd trwy wrthod y pecyn gan Jane Owen, a'i drosglwyddo i'w chwaer.

Mae Gwallter yn dangos caredigrwydd trwy geisio achub Dorcas, a mynd â hi i Frynmawr. Enghreifftiau eraill yw;

- Lisa yn mynd â phecyn bwyd a dillad i Rowland Ellis a'r Crynwyr eraill yn y carchar, er ei bod yn peryglu'i rhyddid ei hun wrth wneud

- Marged Owen yn mynd i ofalu am Siân Owen yn ei ffordd dawel ei hun

- Jane a Robert Owen yn caniatáu i'r Crynwyr gyfarfod yn Nolserau er y byddai hyn yn eu rhoi mewn perygl mawr.

Un o'r rhai sy'n dangos caredigrwydd amlaf yw Rowland Ellis ei hun. Mae'n fodlon colli'i eiddo er mwyn rhyddhau Dorcas ac Ellis Puw o'r carchar, ac mae'n ymweld â Sinai Roberts er nad oedd gwŷr bonheddig yn arfer ymweld â rhai cymaint is eu statws na nhw.

Trwy gyfrwng yr holl garedigrwydd, cawn ddarlun o bobl sy'n byw eu ffydd. Roedd y Crynwyr yn hollol grediniol mai cariad oedd yn teyrnasu yn y byd, ac felly roedden nhw'n dangos cariad tuag at bobl yn eu bywydau bob dydd. Roedden nhw hyd yn oed yn dangos cariad tuag at bobl nad oedd yn dangos cariad atyn nhw.

Creulondeb a chasineb

Yn wrthbwynt i'r holl garedigrwydd, mae yma gasineb a chreulondeb. Y casineb
mwyaf a ddangosir yn y nofel yw'r casineb tuag at y Crynwyr, er bod yma
enghreifftiau eraill o gasineb hefyd. Er enghraifft, mae casineb y dorf tuag at Betsan
Prys ar ddechrau'r nofel yn dangos pa mor greulon y gall cymdeithas fod.

Er bod y Crynwyr yn dangos llawer o garedigrwydd, maen nhw'n dioddef yn
greulon o ganlyniad i bobl eraill. Gwelir creulondeb a chasineb ar lefel bersonol ym
mherson Huw Morris. Mae hwn yn dynnwr coes heb ei ail, ac yn sicr mae rhai o
weision Brynmawr yn dioddef o'i herwydd, yn arbennig Lisa Roberts ac Ellis Puw.

Mae Meg yn dangos casineb tuag at y Crynwyr drwy edliw i Rowland ei fod wedi
ymweld â Sinai Roberts. Nid yw Meg yn dangos cydymdeimlad er bod gŵr Sinai
wedi marw.

Mae'r rhai sy'n cynrychioli awdurdod hefyd yn dangos casineb, a gellid dadlau bod
eu casineb hwy yn waeth. Maen nhw'n camddefnyddio'u statws yn y gymdeithas i
erlid criw o bobl ddiniwed.

Mae'r casineb yn cyrraedd uchafbwynt yn y llys barn o dan law'r Barnwr Walcott.
Pan glywodd rhai o'r dorf beth oedd y ddedfryd, roedden nhw wedi'u syfrdanu, er
nad oedden nhw'n cefnogi'r Crynwyr.

Y creulondeb pennaf yw bod pob elfen o'r casineb yn y nofel wedi cyfrannu tuag at
y teimlad ymhlith y Crynwyr bod yn rhaid iddyn nhw ymfudo, a gadael yr holl erlid
ar eu holau, ymfudo i wlad lle y gallen nhw ddilyn eu crefydd heb ofn.

Colled

Mae colli'n thema fawr o fewn y nofel. Colli wyneb, colli eiddo, colli rhyddid, colli
cariad ac yn bennaf oll colli bywyd. Mae'r awdurdodau'n ofni colli wyneb gan eu
bod yn teimlo bod y Crynwyr yn herio'u hawdurdod. Maen nhw'n sicrhau bod y

ddeddf y dylai pawb fynd i'r Eglwys yn cael ei pharchu. Hyn sy'n arwain at yr erledigaeth.

Oherwydd yr erledigaeth, y Crynwyr sy'n colli fwyaf yn ariannol yn y nofel. Mae eiddo'n cael ei golli gan y rhai sydd ag eiddo, ac mae rhyddid yn cael ei golli gan bawb sy'n dilyn eu hegwyddorion.

Mae nifer o'r Crynwyr yn colli eu bywydau yn y nofel, yn eu plith Ifan Roberts a Dorcas.

Mae pob un o'r rhai sy'n dod yn rhan o'r ymfudo'n colli eu gwlad.

Teulu

Ceir nifer o wahanol deuluoedd yn y nofel. Y teulu pwysicaf yw teulu Brynmawr. Y penteulu yw Rowland Ellis, ac mae Meg ac yntau'n cael dau blentyn, Ann a Siân. Wedi marwolaeth Meg ei wraig gyntaf, mae Rowland yn ailbriodi â Marged Owen ac yn cael mwy o blant.

Gwrthbwynt i'r teulu hwn yw Hywel a Lowri Vaughan. Mae Meg yn cenfigennu gan eu bod nhw yn byw mewn tŷ llawer uwch ei safon na hi. Mae hefyd yn dyheu am eu statws nhw yn y gymdeithas.

Gwrthbwynt i'r cyfeiriad arall yw teulu Ifan a Sinai Roberts. Mae ganddyn nhw naw o blant ac mae bywyd yn anodd iddyn nhw. Dorcas yw'r ferch hynaf, yna Lisa. Y gweddill yw Steffan, Sioned, Gutyn, Dafydd, Huw, Lowri ac Ellyw y babi. Y darlun a gawn yma yw darlun o deulu'n gwneud eu gorau yn wyneb caledi mawr. Maen nhw'n dibynnu ar haelioni ymarferol Rowland Ellis ac Ellis Puw, ac maen nhw mor ddiolchgar.

Mae yna deulu estynedig ym Mrynmawr wrth gwrs gan fod y gweision a'r morynion yn byw yno hefyd. Mae'r ffaith bod Ellis Puw a Huw Morris yn byw dan yr un to yn ychwanegu at y tensiwn sydd yn y tŷ.

9. Crynodeb o'r testun

Rhan 1

1.

Mae canol Dolgellau yn llawn bwrlwm oherwydd bod y ffair wedi dod yn ôl yno ar ôl blynyddoedd o wahardd hwyl a chwerthin. Mae'r fedwen haf a dawnswyr Morus i'w gweld. Mae'r merched yn sefyll mewn cylch o gwmpas y dawnswyr yn curo'u dwylo ac mae hwyl i'w glywed ymhob man.

Ar ymylon y dorf mae tri dyn, Hywel Vaughan, Robert Lewis a Rowland Ellis. Mae'n amlwg yn ôl y sgwrs bod Rowland Ellis yn wahanol i'r ddau arall. Maen nhw'n sylwi ar y merched yn y ffair, ond yr unig ferch sydd ar feddwl Rowland Ellis yw ei wraig, Meg. Roedd Hywel Vaughan yn perthyn o bell i Rowland Ellis, ond nid oedd Rowland yn ei hoffi ryw lawer.

Mae'r tri'n mynd i gyfeiriad y dorf sy'n gwylio Betsan Prys yn cael ei boddi. Mae Rowland yn ffieiddio bod y fath beth yn digwydd, ac mae'n mynd adref i Frynmawr gan roi rubanau a siôl sidan yn anrheg i Meg, ei wraig.

Wrth fwrdd y gegin, mae Rowland yn poeni bod cymdeithas yn gallu dioddef boddi gwrachod, ac mae pawb yn synhwyro iselder Rowland - pawb ar wahân i Meg. Mae Rowland yn croesawu Ellis Puw yno fel gwas, ac mae Huw Morris, gwas arall ym Mrynmawr yn mynd ati i dynnu coes Ellis Puw.

Mae Rowland ac Ellis yn cael sgwrs ynglŷn â darllen, ac yn benodol ynglŷn â geiriau Morgan Llwyd sy'n sail i gredoau'r Crynwyr. Mae Rowland yn sylweddoli mai geiriau peryglus iawn yw'r rhain. Mae Rowland yn cynnig dysgu Ellis i ddarllen.

2.

Mae Rowland a Meg yn paratoi ar gyfer mynd i blygain yr Hengwrt, gan ofyn i Malan ofalu am Ann, eu merch.

Mae Ellis Puw yn mynd ag ychydig o fwyd i Ifan Roberts yn y carchar. Cafodd ei garcharu oherwydd ei fod yn Grynwr. Mae'n llwyddo i godi calon Ifan Roberts, ond mae'n sylwi bod ei goes wedi torri. Mae'n mynd ati i roi esgyrn y goes yn ôl at ei gilydd. Mae'r ddau'n siarad am Rowland Ellis, a'r gobaith y bydd yntau'n dod yn Grynwr hefyd.

3.

Yn y bennod hon mae hanes y plygain yn yr Hengwrt. Mae Meg wedi gwisgo'n grand ar gyfer mynd yno ac mae'n edrych ymlaen yn fawr. Maent yn mynd i mewn ac yn gweld Hywel Vaughan a'i wraig Lowri Vaughan ar waelod y grisiau derw llydan. Mae Meg yn rhyfeddu at yr olygfa, er nad yw'n hoffi gwisg Mrs Vaughan ryw lawer. Mae yna gerddorfa yn chwarae cerddoriaeth dawns, ac mae Hywel Vaughan yn mynd at Meg i ofyn am ddawns. Mae hi wrth ei bodd. Mae Rowland yn poeni ei fod ef a Meg yn pellhau oddi wrth ei gilydd. Mae'n teimlo'i bod yn agosach at y Crynwyr nag at y boneddigion yn yr Hengwrt. Mae'n sylweddoli'n sydyn nad yw'n gallu gweld Meg yn unman ac mae'n mynd i chwilio amdani. Mae'n mynd i'r llyfrgell lle mae Jane Owen, chwaer Hywel Vaughan. Mae hi a'i gŵr, Robert Owen, yn Grynwyr. Mae ei thawelwch meddwl hi'n cael effaith ar Rowland, ac mae Jane yn dweud wrth Rowland ei bod hi'n credu ei fod ef yn Grynwr. Mae Rowland yn ceisio gwadu hyn, ond mae'i galon yn dweud ei bod hi'n dweud y gwir. Yn sydyn, mae'r drws yn agor ac mae Hywel Vaughan a Meg yn dod i mewn. Mae'r awyrgylch yn newid ac mae Hywel Vaughan yn dweud nad oes croeso i'w chwaer yno. Mae Jane Owen yn ceisio ymbil arno i ryddhau Ifan Roberts o'r carchar, ond nid yw Hywel Vaughan yn gwrando. Gan fod Meg wedi cael gormod i yfed, mae Rowland yn mynd â hi'n ôl i Frynmawr.

4.

Mae Ifan Roberts yn marw ac mae Ellis Puw yn mynd i weld ei wraig weddw. Mae'r lle'n oer a does dim llawer o fwyd yno. Mae Dorcas, merch Sinai, yn gofalu am ei brawd, Steffan. Mae Ellis yn ei hedmygu hi am y ffordd dawel y mae hi'n gwneud ei gwaith. Mae Sinai Roberts yn sôn y bydd yn rhaid i'r plant fynd allan i weini er mwyn cael digon o arian i fyw. Mae rhywun yn curo wrth y drws - Rowland Ellis sydd yno i gydymdeimlo â Sinai. Mae Rowland yn rhoi ychydig o fwyd i'r teulu. Mae'n cynnig i Lisa ddod yn forwyn i Frynmawr. Mae Rowland ac Ellis yn mynd yn ôl i Frynmawr. Mae Ellis yn sôn am George Fox, a'r Crynwr, ac mae'r ddau'n teimlo rhyddhad am eu bod nawr yn gallu siarad am rywbeth oedd wedi bod fel mur rhyngddyn nhw.

Mae Meg wedi sylwi ar y newid yn ei gŵr, ac mae'n mynd allan i farchogaeth ei cheffyl. Wrth iddi gyrraedd yn ôl, mae'n gweld y gwas, Huw Morris yn y stabl, ac mae'n hebrwng Meg at y tŷ. Mae Huw Morris yn dweud wrth Meg ei fod wedi gweld Rowland yn mynd i gyfeiriad y Brithdir, ac mae hyn yn codi cwestiynau ym meddwl Meg.

Mae Rowland yn cyrraedd yn ôl, ac mae Meg yn gwylltio bod ei gŵr wedi bod yn gweld teulu'r 'Cwacer'.

5.

Mae Lisa'n dod i Frynmawr ac mae'n sylwi'n syth ar foethusrwydd y lle. Mae hi ychydig yn hyderus, ac nid yw hyn wrth fodd yr hen forwyn, Malan. Mae cyfarfod y Crynwyr yn cael ei gynnal yn Nolserau ac mae Rowland Ellis yn mynd yno. Mae'n edrych o'i amgylch ac yn gweld ei fod yn adnabod pawb, rhai yn well na'i gilydd. Mae distawrwydd yn y lle cyn i Robert Owen ddechrau siarad. Mae Rowland Ellis yn cael ei wefreiddio gan dawelwch a sicrwydd meddwl y Crynwyr, ac mae'n gwybod erbyn hyn ei fod ef ei hun yn Grynwr.

6.

Mae'r Pabyddion wedi dechrau cael eu herlid yn waeth, a bydd hyn yn arwain at erlid y Crynwyr hefyd. Mae Lisa wrth ei bodd ym Mrynmawr, ac mae hi'n mwynhau cwmni Huw Morris. Mae Huw yn ceisio dangos i Lisa sut mae cael amser da, ond mae Lisa'n gwrthod. Mae'r ddau'n clywed sgrech Meg, a dyna lle mae hi, ar y llawr. Mae Lisa'n rhedeg i nôl Ellis. Mae Meg yn dod ati'i hun, ond dydy hi ddim eisiau i Rowland wybod am hyn. Mae Malan yn dweud wrth Rowland ei bod hi'n poeni am Meg. Mae Rowland yn anfon am y meddyg ac mae hwnnw'n awgrymu bod Meg wedi ceisio erthylu'r babi. Mae Rowland yn teimlo'n euog ei fod wedi esgeuluso'i wraig, ond mae'r goleuni newydd wedi cael gafael ynddo, ac mae'n gwybod na fydd y berthynas rhwng y ddau fyth yr un peth eto.

7.

Mae Eglwys Santes Mair yn llawn gan fod y llywodraeth yn gorchymyn i bawb fynd i'r eglwys. Mae Robert Owen, Dolserau, yn torri ar draws yr oedfa, ac yn dweud wrth bawb am ystyried a ydyn nhw'n gwneud y peth iawn. Mae Robert Owen yn cael dwrn yn ei wyneb ac yna mae'n cael ei gario allan o'r eglwys. Mae Marged Owen yn ceisio golchi'r gwaed oddi ar wyneb Robert Owen, ac mae Rowland Ellis yn edrych arni gydag edmygedd. Mae Siân Morris yn cerdded yn noeth, wedi colli arni hi'i hun. Mae Rowland yn gwthio'i hun drwy'r dorf, ac yn rhoi'i glogyn amdani a mynd â hi i dŷ ei thad.

Erbyn hyn, mae Rowland Ellis yn teithio drwy'r sir a draw i Loegr er mwyn lledaenu neges y Crynwyr. Mae hyn yn rhoi cyfle i Meg wneud cynlluniau. Mae hi wedi bod yn casglu arian ar gyfer ffoi o Frynmawr. Mae Huw yn dod i wybod am hyn ac mae'n ceisio hawlio hanner yr arian. Mae Meg yn cael poenau difrifol. Erbyn i Rowland Ellis ddod yn ei ôl, mae dau ddarn o newyddion yn ei ddisgwyl – mae ei ail blentyn wedi cael ei geni ac mae Meg wedi marw.

Rhan 2

1.

Mae Dorcas ac Ellis Puw yn dod yn gariadon. Gan fod Rowland Ellis yn teithio gymaint, mae Lisa'n cael mwy o gyfrifoldeb o ran magu'r ddwy ferch. Mae Lisa'n trefnu mynd i ffair Calan Mai. Mae wrth ei bodd gyda bwrlwm y dorf a'r fedwen haf. Mae Lisa'n mynd i ddawnsio ond mae'n cael ei gadael ar ei phen ei hun yn y diwedd. Mae'n teimlo'n unig, ond yn sydyn mae'n clywed llais Huw Morris. Maen nhw'n mynd i weld ymladd ceiliogod, yna mae Huw Morris yn addo'i hebrwng hi'n ôl i Frynmawr.

2.

Mae Rowland yn teithio i Ddolgellau yng nghwmni Jeremy Mellor. Yn Nolgellau, mae Jeremy Mellor yn dechrau siarad â chriw o bobl am ei ffydd. Mae Rowland Ellis yn ymuno yn y sgwrs. Mae'r dorf yn tyfu ac mae Rowland Ellis yn mwynhau eu hannerch. Mae rhywun yn taflu mwd i wyneb Jeremy Mellor. Mae carreg yn cael ei thaflu ac wedyn mae yna gawodydd o gerrig. Mae gwaed ar wyneb Rowland Ellis a Jeremy Mellor. Mae'r ddau'n teithio'n nôl i Frynmawr.

Wrth ei hebrwng yn ôl i Frynmawr o'r ffair mae Huw Morris yn ymosod yn dreisgar ar Lisa. Maw Rowland Ellis yn gwylltio o glywed hyn ac mae'n rhoi'r sac i Huw Morris.

3.

Mae Rowland Ellis yn mynd i Gaerwrangon i groesawu George Fox allan o'r carchar. Mae iechyd Robert Owen yn gwaethygu yng ngharchar Dolgellau. Mae Rowland Ellis yn anfon llythyr o Lundain at ei gyfnither. Mae William Penn yn sôn am y syniad o gael tir yn yr Amerig er mwyn i gymuned o Grynwyr sefydlu yno, ac osgoi'r erlid. Nid yw Rowland Ellis yn gallu meddwl am fod yn unman ond Brynmawr.

Mae Dorcas yn ymweld â Brynmawr i chwilio am Ellis. Mae dau gwnstabl yn cyrraedd – maen nhw'n chwilio am Ellis. Mae Lisa'n ufuddhau i ddymuniad un ohonyn nhw er mwyn achub Dorcas ac Ellis.

4.

Mae Ellis Puw yn cael ei garcharu ac mae Rowland Ellis a Dorcas yn mynd i chwilio amdano. Mae Rowland yn gwybod mai dim ond mater o amser oedd nes y byddai yntau'n gorfod mynd i'r carchar. Mae'n mynd i weld Lefi Huws i geisio newid lle ag Ellis Puw ond i ddim pwrpas.

Mae Ellis Puw o flaen ei well ac maen nhw'n ei gael yn euog. Mae Rowland Ellis yn poeni am ei ddwy ferch ac mae'n meddwl y dylai ofyn i Marged Owen ei briodi. Byddai hi'n llysfam dda iddyn nhw.

Mae'r Parchedig Morris Jones yn dod at Lefi Huws i ofyn iddo fod yn fwy cadarn gyda'r Crynwyr.

Wrth i Lisa gyrraedd yn ôl o'r farchnad, mae'n sylwi bod rhywbeth mawr o'i le yno. Dim ond y plant, Ann a Siân sy i'w gweld. Mae Malan ar y llawr yn griddfan a phawb arall wedi diflannu.

5.

Mae carchardai Dolgellau yn llawn o'r rhai nad oedd yn dod i'r Eglwys. Roedd y Crynwyr yn gwrthod tyngu llw o wrogaeth i'r Brenin, ac felly roedd y llywodraeth yn cymryd gwerth hanner can punt o'u heiddo er mwyn iddyn nhw gael mynd yn rhydd. Os nad oedd eiddo ganddyn nhw roedden nhw'n aros yn y carchar. Mae Rowland Ellis yn mynnu eu bod yn mynd â mwy o'i stoc er mwyn rhyddhau Ellis a Dorcas. Mae Marged Owen yn derbyn cynnig Rowland i briodi. Pan mae Shadrach, y cwnstabl yn gweld Dorcas mae'n ei chyhuddo hi o fod yn butain. Mae'n cael ei rhoi yn y Gadair Goch a'i throchi yn yr afon. Mae'n cael ei chario'n ôl i Frynmawr ond yn marw ar y ffordd.

6.

Caiff Dorcas ei chladdu ym mynwent Tyddyn y Garreg. Mae Rowland yn poeni am yr holl erlid ac mae'n poeni hefyd am y syniad o symud y Crynwyr i'r Amerig. Mewn cyfarfod yn nhŷ Thomas Lloyd, Dolobran, mae'r Crynwyr yn trafod y symud mawr. Mae rhai o blaid ac eraill yn erbyn. Mae Rowland, Marged, Ann a Siân yn dod yn agosach at ei gilydd. Mae'r Rheithor Morris Jones yn darllen enwau'r Crynwyr na fu yn yr Eglwys yn ystod y mis.

7.

Mae nifer o'r Crynwyr gan gynnwys Rowland a Marged yn cael eu carcharu. Mae Lisa'n gofalu am Ann a Siân ac yn dod â bwyd a dillad glân i'r carcharorion. Mae'r carcharorion yn cael eu gorfodi i gerdded i'r Bala i sefyll eu prawf. Y cyhuddiad yw eu bod yn cyflwyno gallu tramor i'r wlad yn hytrach na chefnogi Coron Lloegr. Am y tro cyntaf, mae Rowland Ellis yn ystyried mynd i'r Amerig o ddifrif. Maen nhw'n cael y Crynwyr yn euog, a'r ddedfryd gan y Barnwr Walcott yw i'r dynion gael eu crogi a'u pedrannu (torri eu cyrff yn bedair rhan) ac mae'r gwragedd i gael eu llosgi.

Mae'r Crynwyr yn cael eu harbed gan fod y Cwnsler Corbett wedi dod â neges gan y Prif Farnwr Hale yn dweud nad oes hawl dienyddio am y drosedd hon, a'i fod yn synnu bod y Barnwr Walcott yn dal i ddangos ei gasineb at y Crynwyr. Mae'r Crynwyr yn cael eu rhyddhau.

8.

Mae Rowland a Marged yn priodi ac maen nhw'n cael mab a merch. Mae'r erlid yn peidio, ac mae pethau'n edrych yn well. Mae Lisa'n dechrau caru â Tomos Owen y gwas. Mae Siôn ap Siôn a Thomas Lloyd yn galw ym Mrynmawr i ddweud wrth Rowland Ellis am gynllun William Penn, sef ei fod wedi cael tir yn yr Amerig i'w werthu fesul ychydig i'r Crynwyr. Mae Rowland rhwng dau feddwl ynglŷn â symud, ond mae Marged Owen yn gweld perygl mawr os bydd rhai yn symud a rhai yn aros. Yn ei barn hi, os bydd rhai'n mynd, dylai pawb fynd er mwyn i bawb gael bod gyda'i gilydd.

9.

Mae rhai o'r Crynwyr wedi dechrau prynu'r tir yn barod. Y gofid mwyaf yw na fydd y Cymry'n cael tir yn agos i'w gilydd. Mae Penn yn cytuno y bydden nhw'n cael bod gyda'i gilydd. Mae Marged yn awyddus i aros, ond mae Rowland yn newid ei feddwl wrth i Lisa ddweud wrtho ei bod hi a Tomos yn meddwl mynd i'r Amerig pe bai Rowland a'r teulu'n mynd. Mae'n datgelu nad oes angen iddi boeni am ei mam bellach ond mae'n gwrthod dweud pam. Mae Rowland a Marged yn cytuno y dylai Lisa a Tomos fynd draw'n gyntaf, a phe bai'r arbrawf yn llwyddo, y byddai Rowland a'r teulu'n mynd draw'n nes ymlaen. Mae Ellis yn dweud ei fod ef a Sinai Roberts yn mynd i briodi. Wrth hebrwng y criw draw i Aberdaugleddau a'u gwylio'n hwylio i ffwrdd, mae Marged yn crio. Mae hi'n sylweddoli gymaint o golled yw hyn i'r fro.

10. Iaith ac arddull

Arddull yw ffordd yr awdur o fynd ati i gyfleu ei syniadau. Gall ddefnyddio nifer o dechnegau gwahanol er mwyn cyrraedd ei nod o drosglwyddo'r stori mewn ffordd mor gofiadwy â phosib.

Iaith Naratif

Iaith lenyddol yw iaith naratif y nofel. Mae hyn yn cyd-fynd â'r pwnc a'r cyfnod gan fod yna urddas yn perthyn i iaith lenyddol. Mae yma ddisgrifiadau blodeuog o fyd natur ac o'r ardal, e.e.

'Byr yw hoedl yr haul yn Nyffryn Mawddach, ond pan ddaw, mae'n gweddnewid pobman.' Gwrthbwynt i ddisgleirdeb y weirglodd yw cysgodion dwfn y coed. 'Mor dlws yw lliw gwyrdd yn erbyn awyr las, myfyriai Dorcas.'

Iaith Cymeriadau

Mae gan bob cymeriad ei ffordd arbennig o siarad. Tueddu i edrych i lawr ar bobl y mae Hywel Vaughan: 'Trueni fod y werin yn ogleuo gymaint...' Nid yw'n siarad mewn tafodiaith, ac mae hynny'n awgrymu ei statws uchel yn y gymdeithas.

Mae Rowland Ellis yn defnyddio mwy o dafodiaith, yn arbennig gyda Meg pan fo'n siarad yn gariadus, 'Ceisia ddeall, y fech...'

Mae Ellis Puw o hyd yn fonheddig ei iaith, ac mae'i iaith yn raenus gan ei fod yn dysgu darllen, ac wedi dysgu nifer o ddarnau o lyfrau ar ei gof. Ond mae rhywbeth annwyl hefyd yn y ffordd y mae'n siarad, 'Sinai, 'does gen ti ddim math o dân. Tyrd imi gynneu un i ti.'

Huw Morris yw'r cymeriad sy'n siarad fwyaf amrwd yn y nofel. Mae'n barod ei dafod yn erbyn y Crynwyr: 'Wyst ti – y Crynwyr 'na... y Rab-siacas.'

Nodweddion

Trosiad

'Daliai hi'r gannwyll uwch ei phen a thaflodd honno ei goleuni ar y trwyn syth, main, **y talcen o farmor** a'r aeliau fel adenydd gwennol...' Mae'r awdur yma'n disgrifio Meg fel y mae Rowland yn ei gweld. Er bod Meg yn agos ato'n gorfforol, mae e'n teimlo fod yna bellter rhyngddynt. Mae'r cyfeiriad at 'y talcen o farmor' yn cryfhau'r teimlad hwn. Mae'n awgrymu oerni a chaledwch yn hytrach na chynhesrwydd cig a gwaed.

Cyffelybiaeth

'O un i un fe oleuwyd y canhwyllau yn ffenestri'r tai. Wrth gerdded allan ac i fyny o'r dre fe'u gwelodd fel sêr wedi syrthio o'r nefoedd.' Bron nad oes rhywbeth ysbrydol yn perthyn i'r gyffelybiaeth hon. Gwelwn yma fod yr awdur yn awgrymu bod Rowland Ellis yn un oedd â dychymyg byw ac yn meddwl llawer am yr hyn a welai o'i gwmpas

Synhwyrau

Mae'r synnwyr 'gweld' a 'chlywed' yn amlwg yn y nofel. Mae'r Crynwyr fel petaen nhw'n gwerthfawrogi'r wlad o'u cwmpas, ac wrth i Rowland, Ellis a Dorcas gael eu rhyddhau o'r carchar, dyma'r disgrifiad a gawn: 'O'u cwmpas disgleiriai blagur y cyll a'r cerddin yn wyrdd ryfeddol ar ôl y glaw. Roedd briallu a llygaid Ebrill yn melynu'r cloddiau, bronfraith a mwyalchen am y gore, a'r cymylau yn rhedeg ras mewn wybren rydd.' Wrth ddefnyddio'r synhwyrau, mae'r awdur yn dod â'r disgrifiad yn fwy byw i ni. Mae'r cymeriadau yna fel petaent yn rhyfeddu at bob agwedd o'r prydferthwch o'u cwmpas, heb ei gymryd yn ganiataol.

Hyd Brawddegau

Mae'r awdures yn amrywio hyd y brawddegu yn ôl y galw. Mae'n defnyddio brawddegau hirion i ddisgrifio, fel yr uchod. Ond wrth fanylu ar bwyntiau bachog a chofiadwy mae'n defnyddio brawddegau byrion. Er enghraifft, mae'r rhan gyntaf yn diweddu gyda'r ffaith foel am Meg, ffaith sy'n taro'r darllenydd yn ei dalcen: 'Ond bu farw'r fam wrth ei geni.'

Cymhariaeth

Pan mae Ellis Puw yn mynd i weld Sinai Roberts i gydymdeimlo â hi a'r teulu oherwydd marwolaeth ei gŵr, mae Steffan yn gorwedd yn y siamber ar wastad ei gefn, 'ei gorff bach mor denau ac eiddil â dryw yn y glaw.' Cawn ddarlun o wendid y bachgen bach yn y gymhariaeth hon a darlun sy'n dangos ei fod yn dibynnu ar eraill i edrych ar ei ôl. Cawn hefyd ddarlun o ba mor fach ydoedd.

Eironi

Pan mae Lisa yn symud i Frynmawr i fod yn forwyn, mae'n sylwi ar y gwas ifanc arall, Ellis Puw. Dydy ei olwg ddim yn apelio ryw lawer ati. 'Fyddai'r un hogan yn syrthio mewn cariad ag o - gyda'i wallt cringoch syth, a'i sgwyddau crwn, a'r brychni ar ei drwyn.' Yn nes ymlaen yr ydym yn dod i wybod mai ei chwaer ei hun fyddai'n dod yn gariad i Ellis Puw yn y pen draw.

Awgrym

Cawn awgrym yn gynnar iawn yn y nofel fod gan Ellis deimladau tuag at Dorcas, er nad yw Ellis ei hun yn sylweddoli hynny ar y pryd! Pan mae'n clywed mai Lisa sydd yn dod i Frynmawr i weini yn lle ei chwaer, Dorcas, 'aeth gwefr o siomiant dros Ellis Puw, er na wyddai'n iawn pam.'

11. Dyfyniadau pwysig

1.

'Gosodwyd dwy fainc o boptu i'r bwrdd, a chadair wrth bob un o'r ddau ben. Taflodd y canhwyllau brwyn eu cysgodion hir ar draws y stafell, a disgleiriai'r cwpwrdd tridarn yn fflamau'r tân. Safai'r gweision a'r morynion wrth y meinciau i aros i Rowland Ellis a'i wraig gymryd eu lle wrth y bwrdd. Plygodd Rowland ei ben i ymofyn bendith, a chyda sŵn symud meinciau ar y llawr cerrig, eisteddwyd i lawr, a bwriwyd yn eiddgar i'r llymru.'

Yn y dyfyniad hwn, cawn ddarlun o stafell fwyta un o fân uchelwyr y cyfnod. Byddai'r olygfa hon wedi digwydd mewn cannoedd o ffermdai a phlastai ar hyd a lled Cymru yn y cyfnod. Gwelwn mai 'canhwyllau brwyn' oedd yn goleuo'r lle gan ei fod yn gyfnod cyn trydan. Roedd y 'cwpwrdd tridarn' yn gelficyn poblogaidd yn y math hwn o dŷ. Yr hyn sy'n ein taro fwyaf yw'r modd y mae'r gweision a'r morynion yn sefyll wrth i ŵr a gwraig y tŷ ddod mewn. Dengys hyn barch tuag atynt. Gwelwn yn nes ymlaen yn y nofel bod y parch yn ddidwyll iawn gan bob un o'r gweision, ond un, sef Huw Morris.

2.

'Ceisiodd Rowland gydio ynddi, ond roedd ei wraig wedi colli arni'i hun yn llwyr. Gyda holl nerth ei braich, trawodd ef ar draws ei wyneb. Am eiliad edrychodd y ddau ar ei gilydd, Meg gyda dychryn am iddi wneud rhywbeth na wnaethai erioed o'r blaen, Rowland gyda thristwch am orffennol na ddeuai byth yn ôl.'

Dyma baragraff olaf y bedwaredd bennod. Yn ystod y bennod hon, mae Rowland wedi mynd i gydymdeimlo gyda Sinai Roberts wedi iddi golli'i gŵr. Mae Meg yn poeni bod eu henw da yn mynd i gael ei dynnu drwy'r baw am fod ei gŵr wedi mynd i weld teulu ar ris isaf y gymdeithas yn ei golwg hi. Mae'r eiliad hon yn dyngedfennol yn y nofel. Dyma'r eiliad lle mae'r gwahanu mawr yn dechrau rhwng

Meg a Rowland. Mae Meg yn dangos ei hun fel gwraig fyrbwyll, ymosodol, tra bod Rowland yn ŵr i'r gwrthwyneb yn llwyr. Mae Rowland yn gwybod na fydd pethau fyth yr un peth wedi'r eiliad honno.

3.

'Roedd pawb yn gwybod rŵan. O hyn allan byddai enw gŵr Brynmawr yn gysylltiedig am byth â'r Crynwyr. Roedd codi Siân Morris yn ei freichiau yn gymaint o ymrwymiad cyhoeddus i'r Crynwyr â gweithred Robert Owen yn pregethu yn yr Eglwys.'

Yn y nofel mae yna nifer o awgrymiadau bod Rowland Ellis yn troi'n Grynwr. Gwelwn o'r dechrau nad un i ddilyn y dorf yw Rowland Ellis, ac mae geiriau Ellis Puw a Jane Owen fel petaen nhw'n cael effaith arno. Ond awgrym o'i ddaliadau yn unig a gawn. Hyd yn oed pan mae'n mynd i gyfarfod y Crynwyr, dydyn ni ddim yn gwybod i sicrwydd a oedd Rowland yn Grynwr: 'Ni wyddai Rowland yn iawn pam y dewisodd fynd i Ddolserau y noson honno.' Wedi'r cyfarfod, pan dorrodd 'y cwmwl du a fu'n hofran dros ei ben ers misoedd,' dim ond Rowland sy'n gwybod ei fod wedi dod yn Grynwr. Dim ond pan mae'n codi Siân Morris yn ei freichiau y mae'r credu mewnol, preifat yn troi'n gredu allanol cyhoeddus.

4.

'Nid rhaid wrth na Bibl na Phregethwr. Mae gennym y gwir Bregethwr yn sefyll ym Mhulpud ein Calonnau, a Llyfr ynom a wasanaetha os dilynwn ef, ac os daliwn sylw arno fel Gair neu Gannwyll yn llosgi ynom mewn lle tywyll. Ac yn lle pob llais oddi allan dilynwn ni ac ufuddhawn i'r llais a'r goleuni sydd o'r tu fewn.'

Geiriau Morgan Llwyd yw'r rhain sy'n cael eu dyfynnu gan Rowland Ellis wrth iddo ymweld â'r Ustus Lefi Huws. Pwrpas yr ymweliad oedd ceisio sicrhau rhyddhau Ellis Puw o'r carchar. Mae Rowland Ellis yn dyfynnu'r geiriau hyn er mwyn ceisio dangos i'r Ustus pam nad yw'r Crynwyr yn mynd i'r Eglwys i wrando ar y Ficer yn pregethu.

5.

'Bu rhai ohonom ers tro a'n breuddwydion wedi eu hoelio ar Arbrawf Sanctaidd mewn gwlad bell. Meddyliwch amdani, o fy nghyfeillion. Gwlad lle mae cariad yn teyrnasu, lle mae cyfiawnder yn gweithredu trwy gariad, lle mae dynion yn rhydd i addoli fel y mynnant, lle mae Deddf Gwlad wedi sylfaenu ar y Goleuni dwyfol oddi mewn. Teyrnas Ddaear yn deyrnas ein Harglwydd a'i Grist Ef.'

Dyma eiriau Thomas Lloyd, Dolobran, yn siarad yn un o gyfarfodydd y Crynwyr. Mae tua deg ar hugain o Gyfeillion wedi dod yno i drafod yr ymosodiadau ar y Crynwyr, a'r carcharu aml a oedd yn digwydd. Yn eu plith, mae Dorcas a gafodd ei lladd drwy ei boddi yn y Gadair Goch. Yn wyneb yr holl ddioddef yma, mae geiriau Tomas Lloyd yn disgyn ar dir ffrwythlon iawn. Byddai clywed am wlad 'lle mae cariad yn teyrnasu' yn sicr yn apelio at y Cyfeillion, ac yn denu nifer ohonyn nhw. Mae Thomas Lloyd yn perthyn i'r teulu a roddodd eu henw i Fanc Lloyds.

12. Cwestiynau arholiad

Darllenwch y darn ar dudalen 47 a gymerwyd o 'Y Stafell Ddirgel.' Yna atebwch y cwestiynau sy'n dilyn yn llawn a gofalus, gan ddyfynnu'n bwrpasol. (Ystyriwch y marciau a roddir am bob cwestiwn)

1. Trafodwch ddwy olygfa o'r nofel lle dangosir hapusrwydd, a nodwch beth yw effaith yr hapusrwydd ar blot y nofel. [10 x 2]

2. Sut mae'r awdur yn cyfleu awyrgylch hapus yn y darn ar y dudalen nesaf? [10]

3. Ysgrifennwch ymson Dorcas yn arwain at ymweliad y ddau gwnstabl. [10]

Edrychodd Dorcas i fyny at y cymylau aflonydd a chyflymodd ei cherddediad. O frysio, fe gymerai chwarter awr iddi gyrraedd Brynmawr, a hwyrach y byddai hi yno cyn i'r glaw ddisgyn. Roedd hi'n dechrau tywyllu hefyd a'r coed o'i blaen yn chwifio'n fygythiol yn y gwynt. Trwy'r dydd fe fu haul mis Hydref yn goleuo'r dail aeddfed amryliw, ac yn cynhesu'r rhedyn coch ar y ponciau y tu ôl i'w thŷ, nes llenwi ei chalon â hapusrwydd ac awydd i rannu ei llawenydd ag Ellis. Doedd hi ddim wedi trefnu i'w gyfarfod tan y Sul. Tair noson i aros. Yn sydyn ar ôl swper, fe benderfynodd gerdded draw i Frynmawr.

'Ond mae hi'n bump o'r gloch rŵan, wsti. Mi fydd y nos ar dy drywydd di cyn iti gyrraedd,' rhybuddiai Sinai hi, gan synnu peth at sydynrwydd anarferol ei merch bwyllog.

'Mae gen i lygaid fel cath yn y twllwch,' chwarddai Dorcas. 'Ac fe ddaw Ellis â fi'n ôl ymhell cyn hanner nos.'

Ond erbyn hyn doedd hi ddim mor ffyddiog o bell ffordd. Trodd cwyn y gwynt yn udo dolefus, a gallai daeru iddi weld golau llusern annaearol jac y gors yn chwifio o'i blaen. Brifwyd ei bochau gan gylymau ei chap gwlân yn chwythu yn erbyn ei hwyneb, a chlywodd ei sgerti yn llyffethair o gylch ei choesau. Roedd y cymylau yn ymrannu fel crochan berwedig, a disgynnodd y diferyn cyntaf o law ar ei thalcen wrth iddi droi am y nant a redai i afon Aran heb fod nepell o Frynmawr.

Roedd hi'n wlyb diferu yn curo ar ddrws cegin Brynmawr. Rhythodd Lisa arni pan agorodd y drws iddi, gan feddwl yn siŵr fod rhywbeth mawr o'i le gartre.

'Na, does dim byd yn bod. Mae'n ddrwg gen i dy ddychryn di. B'le mae Ellis?'

Dechreuodd Lisa dynnu clogyn Dorcas.

'Hitia befo Ellis. Tyn y dillad gwlyb 'na oddi amdanat, a thyrd at y tân.'

Ysgydwodd Dorcas ei phen a disgynnodd cawod o ddŵr glaw ar y llawr.

'Mi dynna 'i fy sane, a sychu nhraed. Mi rydw i'n iawn fel arall.'

Ond mynnodd Lisa ei bod hi'n tynnu popeth.

ATEBION:

1. Enghraifft 1

- Rowland Ellis yn mynd i weld Sinai Roberts i gydymdeimlo â hi - wedi colli'i gŵr
- hapusrwydd yng nghanol tristwch - Ellis Puw o'r eiliad honno yn synhwyro mai Crynwr oedd Rowland Ellis
- Ellis Puw, gwas Brynmawr, wedi mynd i'r Brithdir i weld Sinai yn barod
- hyn ddim yn rhyfedd - Ellis o'r un safle cymdeithasol â theulu Ifan Roberts
- y ffaith fod Rowland Ellis yno **yn** rhyfedd - person o statws Rowland Ellis ddim fel arfer mynd i weld pobl o ddosbarth isaf y gymdeithas - dangos mawredd cymeriad Rowland Ellis
- Ellis Puw yn sylweddoli'n syth beth oedd arwyddocâd ymweliad Rowland Ellis
- y peth cyntaf sy'n dod i feddwl Sinai Roberts yw ofn - hi hefyd yn sylweddoli'n fuan bod Rowland Ellis yno fel ffrind - ofn yn troi'n hapusrwydd
- Rowland Ellis yno i gydymdeimlo a hefyd i gynnig cymorth ymarferol - llond basged o fwyd
- arwyddocâd yr olygfa ac effaith yr hapusrwydd ar blot y nofel - Ellis Puw yn teimlo'n fwy hyderus fod ei feistr hefyd yn Grynwr
- y ddau â'r un syniadau crefyddol - help mawr i'w gilydd
- yr hapusrwydd yng nghalonnau'r ddau ŵr yma yn cyferbynnu â'r tristwch a'r casineb yng nghalon Meg o achos yr un digwyddiad
- Meg yn anhapus fod Rowland yn mynd i weld 'gwraig y Cwacer,' - dyma dechrau'r diwedd i berthynas Meg a Rowland.

Enghraifft 2

- Rowland Ellis yn mynd i gyfarfod y Crynwyr yn Nolserau
- dau fath o hapusrwydd yma - hapusrwydd Rowland Ellis am ei fod wedi dod o hyd i'r golau yn ei galon; hapusrwydd y Cyfeillion am fod gŵr o statws Rowland Ellis wedi troi'n Grynwr
- ar ddechrau'r olygfa - ansicrwydd ym meddwl Rowland Ellis - edrych o amgylch i weld pwy arall sydd yno - lled adnabod llawer un - synnu gweld rhai ohonyn nhw yno
- ansicrwydd Rowland Ellis yn troi'n orfoledd yn fuan
- Rowland Ellis yn cyfeirio atyn nhw fel 'fy mrodyr a'm chwiorydd' yn fuan
- cyfeirio'n benodol at lawenydd Robert Owen o gael aelod newydd ar ddiwedd yr olygfa
- arwyddocâd yr olygfa ac effaith yr hapusrwydd ar blot y nofel - Rowland Ellis o hyn ymlaen yn y nofel yn gwbl glir ei ffordd yn ysbrydol
- heb yr olygfa hon, efallai na fyddai Rowland Ellis wedi troi'n Grynwr o gwbl.

2. Cyfleu awyrgylch

- cyfleu awyrgylch hapus yn y darn trwy gyfrwng nifer o ddarluniau
- dau fath o lawenydd - llawenydd allanol sy'n cael ei ddarlunio gan y tywydd a byd natur - 'fe fu haul mis Hydref yn goleuo'r dail aeddfed, amryliw.' - apelio at ein synnwyr gweld - defnydd o'r synhwyrau yn cael ei ddwysau drwy gyfeirio at gynhesrwydd y 'rhedyn coch ar y ponciau.'
- y llawenydd yng nghalon Dorcas yw'r gwir lawenydd – gallu rhannu ei theimladau ag Ellis
- Dorcas yn edrych ymlaen at weld Ellis – teimlad o'r cariad rhwng y ddau yn y frawddeg fer, 'Tair noson i aros.'
- Dorcas yn ceisio darbwyllo'i mam fod cerdded yn y nos yn saff iddi, 'Mae gen i lygaid fel cath yn y tywyllwch.' - darlun o hyder, ac awydd i weld Ellis Puw.
- cyferbyniad rhwng y llawenydd dechreuol, rhwng 'haul Mis hydref' a'r ofn sydd yn dod oherwydd 'golau llusern annaearol jac y gors' yn y tywyllwch.
- defnydd effeithiol o ddeialog yn hwyrach yn y darn - Dorcas yn gofyn yn

ddiamynedd, 'Ble mae Ellis?' dim awgrym o banig – darlun o ferch ifanc sy'n awyddus i weld ei chariad

- y llawenydd yma'n cyferbynnu'n llwyr â'r tristwch yn nes ymlaen yn yr olygfa - dim Ellis sy'n cyrraedd Brynmawr ond y ddau gwnstabl sy'n chwilio amdano.

3. Ymson Dorcas

Rwy'n edrych ymlaen gymaint at weld Ellis. Bydd yn dod yn fuan, rwy'n siŵr. Yn y cyfamser, mae Lisa wedi mynnu mod i'n gwisgo'r wisg yma. Dydw i ddim yn teimlo'n gyfforddus ynddi rywsut, ond dyna ni, mae'n well na bod yn wlyb mae'n siŵr, a bydd fy nillad i'n sychu'n fuan o flaen y tân yma. Mae popeth mor lân yma. Mae'n rhaid fod Lisa'n gwneud ei gwaith yn dda chwarae teg iddi. Ond mae hi'n ferch sydd wedi newid ers iddi adael cartref. Mae hi wedi tyfu'n ddiarth i ni yn y Brithdir bellach.

Ond dyna ni, efallai mai fi sydd wedi tyfu'n ddiarth iddi hi. Mae Ellis yn llenwi 'mywyd i erbyn hyn, ac efallai mai fi sydd wedi pellhau oddi wrth Lisa ac nid Lisa oddi wrtha i. Tybed ble mae Sian ac Ann? Mae'r lle yma dipyn yn fwy swnllyd pan maen nhw yma mae'n siŵr.

Clywaf Lisa'n sôn am Marged Owen. Beth? Marged Owen yn perthyn yn nes ryw ddydd. Beth mae hi'n ei feddwl? Gwraig Brynmawr. Dyna syniad rhyfedd. Dyn yn priodi ddwywaith. Beth fydd yn digwydd yn y nefoedd petai'r tri ohonyn nhw'n cyfarfod?! Dydw i ddim yn hoffi'r syniad yna ryw lawer.

Fyddwn i byth yn priodi neb arall. Mae Ellis yn ddigon i fi, a phe bai o'n marw o 'mlaen i, aros yn ddibriod fydden i wedyn. Rydw i am fod efo Ellis yn y byd hwn a'r byd a ddaw. O! mae na guro ar y drws. Ellis sydd wedi dod, tybed? O! na. Y wisg 'ma. Beth fydd yn ei feddwl pe bai'n fy ngweld yn gwisgo hon. Mae'n rhaid i mi newid. Na, mae 'ngwisg i'n rhy wlyb. O, mi fydd Elis yn deall.
Beth? Nid Ellis sydd yna...

13. Cwis

1. Cwestiynau

1. Ym mha flwyddyn y mae'r nofel yn agor?
2. At bwy mae'r dyfyniad yma'n cyfeirio: 'Cododd hances sidan i'w drwyn gyda gorystum'?
3. Beth oedd enw'r afon a redai drwy Ddolgellau?
4. Beth oedd enw'r wrach gafodd ei boddi ar ddechrau'r nofel?
5. Beth oedd enw'r hen forwyn ym Mrynmawr?
6. Pwy yw awdur y geiriau: 'Dos i mewn i'r Stafell Ddirgel, yr hon yw goleuni Duw ynot'?
7. Beth oedd enw ceidwad carchar Caetanws pan aeth Ellis Puw i weld Ifan Roberts?
8. Beth yw perthynas Jane Owen a Hywel Vaughan?
9. I ba ddathliad aeth Rowland a Meg i'r Hengwrt?
10. Pa ddau enw arall sy'n cael eu defnyddio am y Crynwyr?
11. O ba afiechyd yr oedd Steffan yn dioddef?
12. Oddi ar pryd yr oedd Meg yn teimlo'n ansicr ohoni'i hun?
13. Beth oedd enw ceffyl Meg?
14. Ymhle rydyn ni'n clywed am Siân Morris, merch y teiliwr, gyntaf yn y nofel?
15. Pwy roddodd ddwrn yn wyneb Robert Owen?
16. O ble yr anfonodd Rowland Ellis lythyr i Marged Owen?
17. Faint o ddirwy yr un gafodd y Crynwyr am beidio â mynd i'r Eglwys?
18. Pa ffafr wnaeth Gwallter â Dorcas.
19. Ble'r oedd y llys barn?
20. O ble'r hwyliodd y llong gyda Lisa Tomos ar ei bwrdd?

2. Pwy sy'n byw ble?

Mae'r tabl isod yn dangos y bobl yn byw yn y llefydd anghywir. Allwch chi ddweud ble mae'r bobl hyn yn byw?

Robert a Jane Owen	Brynmawr
Hywel a Lowri Vaughan	Brithdir
Rowland a Meg Ellis	Dolserau
Ifan a Sinai Roberts	Hengwrt

Robert a Jane Owen	
Hywel a Lowri Vaughan	
Rowland a Meg Ellis	
Ifan a Sinai Roberts	

3. Dyfyniadau am bwy yw'r canlynol?

1. 'Doedd ganddo air da am neb.'
2. 'Roedd hi mor hoff o ddawnsio, dawnsio a chanu'r delyn.'
3. 'Rwyt ti fel twr cadarn imi.' (geiriau Sinai Roberts)
4. 'Rhywsut yn byw ei bywyd ei hun ar wahân i'w theulu.'
5. 'Gwr eiddigeddus o harddwch ieuenctid a sicrwydd ei feistri.'

14. Atebion y cwis

1. Cwestiynau

1. 1672
2. Hywel Vaughan
3. Afon Wnion
4. Betsan Prys
5. Malan
6. Morgan Llwyd
7. Siôn Pyrs
8. Brawd a chwaer
9. Plygain
10. Cwacer, Cyfeillion
11. Diciâu
12. Plygain yr Hengwrt
13. Barnabas
14. Roedd hi'n bresennol yng nghyfarfod y Crynwyr yn Nolserau ym mhennod 5.
15. Samuel Ifan
16. Llundain
17. Hanner can punt
18. Dweud wrth Shadrach am adael iddi fod wedi i Dorcas fod yn y Gadair Goch, a mynd â hi yn ei gert i Frynmawr.
19. Y Bala
20. Aberdaugleddau

2. Pwy sy'n byw ble?

Robert a Jane Owen	Dolserau
Hywel a Lowri Vaughan	Hengwrt
Rowland a Meg Ellis	Brynmawr
Ifan a Sinai Roberts	Brithdir

3. Dyfyniadau am bwy yw'r canlynol?

1. Hywel Vaughan
2. Meg
3. Ellis Puw
4. Lisa Roberts
5. Huw Morris